# CANTO SAM QUASE BAQUI CORO ANO

Francisco C. Duarte

KOTTER EDITORIAL

CANTO QUASE CORO SAMBAQUIANO, 2020.
KOTTER EDITORIAL, 2020.

COORDENAÇÃO EDITORIAL: SÁLVIO NIENKÖTTER
EDITOR EXECUTIVO: RAUL K. SOUZA
EDITORA ADJUNTA: ISADORA M. CASTRO CUSTÓDIO
PRODUÇÃO: CRISTIANE NIENKÖTTER
PROJETO GRÁFICO /EDITORAÇÃO DO MIOLO: JUSSARA SALAZAR
REVISÃO: ALESSANDRA ANGELO E JUSSARA SALAZAR
CAPA: PAULA VILLA NOVA

DADOS INTERNACIONAIS DE CATALOGAÇÃO NA PUBLICAÇÃO (CIP)
ANGÉLICA ILACQUA CRB-8/70

---

DUARTE, FRANCISCO C.
CANTO QUASE CORO SAMBAQUIANO / FRANCISCO C. DUARTE. -- CURITIBA : KOTTER EDITORIAL, 2020.
84 P.
ISBN 978-65-80103-53-9
978-989-54566-4-2;
FICÇÃO BRASILEIRA I. TÍTULO
19-1579.....CDDB869.3

---

KOTTER EDITORIAL
RUA DAS CEREJEIRAS | 194
82.7700-510 | CURITIBA | PARANÁ
+55 (41) 3585-5161

KOTTER PORTUGAL
RUA DA EMENDA 7
1200-170 |LISBOA/PORTUGAL
+351 21 3477 1886

WWW.KOTTER.COM.BR | CONTATO@KOTTER.COM.BR

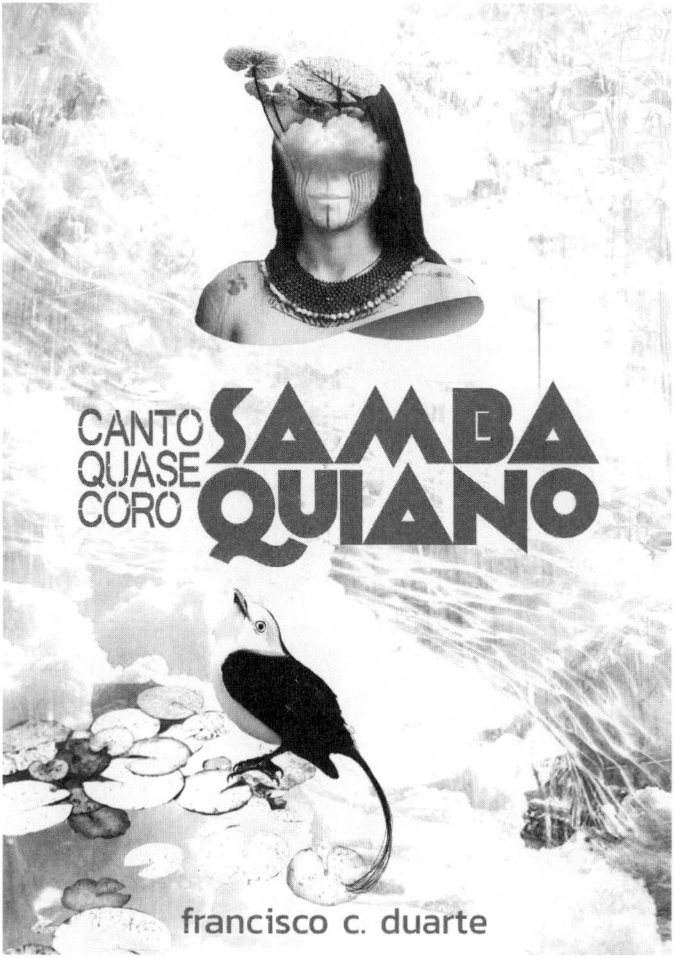
CANTO
QUASE
CORO
SAMBA
QUIANO
francisco c. duarte

SUMÁRIO

# PRELÚDIO

Este pequeno livro surpreende não somente pelo ponto de vista da narrativa mas também pelas imagens apresentadas. Trata-se de um texto literário que apesar do caráter narrativo, é pleno do poético, a exemplo das grandes epopéias. Uma obra de arte composta por texto e imagem, que expressa a poesia na forma de ler as coisas.

Memórias da infâcia guardam embaralhados do que foi vivido e sonhado, juntando ainda o ficcional com a História. O aparente singelismo não esconde o imenso resgate marcante e fugaz, que talhou sulcos profundos na alma do autor.

A estória transcorre no vilarejo Bom-Belo Rio-Mar em um tempo em que meninos se divertiam no rio que se assemelha ao mar na imaginação do narrador.

A "rotina do menino" traz surpresas e desafios no tempo do rio-mar. A paz e o colorido das plantas, a doce polifonia dos pássaros, o húmus da terra, o ritmo daquele mundo são fortes elementos da narrativa.

Em uma perspectiva narrativa e historiográfica, a obra articula refinada estética ficcional com reflexões de identidade ameríndia, conjugando a "excelência literária" à representatividade cultural.

A narrativa paleontológica e arqueológica se sobrepõe em várias camadas, assim como a obra de ficção.

A história aqui contada mostra o quanto uma vida é formada por evocações e lembranças. Estende-se como uma reflexão sobre o valor das vidas humanas e não humanas, pela duração das lembranças em nossa existência. Em um mundo em que o "ter" define o valor de cada um se opondo às vidas aqui expostas – animais, plantas, peixes e homens –, onde são valorizadas em função do "ser".

A cadência imposta pela história é sempre delicada, ritmada e sugestiva. A beleza das descrições ensejam o leitor a formar a imagem à medida que avança na leitura.

A descrição e fluxo de pensamento sobrejaz à ação. É como se a cada página o leitor acessasse pequenas histórias.Trata-se de um livro muito refinado. Apresenta uma linguagem a partir do olhar infantil, mas adulta, clara e elegante. Existe uma interação estética no uso da linguagem.

Garuva
Barra do Saí
Itapema do Norte
Itapoá
Capri
Ubatuba
Praia Ubatuba
Praia Enseada
São Francisco do Sul
Praia Grande
Ilha de São Francisco
Oxford
Campo Alegre
Rio Negrinho
São Bento do Sul
Corupá
Araquari
Jaraguá
Oceano Atlântico
Rio dos Cedros
Pomerode
Praia de Piçarras
Praia de Itajuba
Timbó
Rodeio
Ascurra
Praia Cabeçudas
Praia Navegantes
Apiúna
Praia das Laranjeiras
SERRA
DO
Pres. Nereu
Vidal Ramos
Governador Celso Ramos
Cachoeira do Bom Jesus
Imbuia
Leoberto Leal
Amópolis
Catuíra
São Jose
FLORIANÓPOLIS
Alfredo Wagner
Bom Retiro
Praia Campeche
SANTA CATARINA

Como obra de arte que é, possibilita a leitura em diferentes camadas de profundidades. A ilustração não abre mão dos detalhes, que são muitos.

As colagens surrealistas dos artistas plásticos Maria Aparecida Medeiros e Prof. Lucas Salgado são um destaque nesta obra. Elas são o resultado de um processo no qual o uso da imagem do que é supostamente real a transforma em outra realidade resultante da poesia plástica. E o processo não se dá apenas no ato de colar, mas na relação com a imagem, desde o momento da escolha, passando pelo recorte, ou seja, o distanciamento que se faz da imagem em relação a seu cenário normal, indo para o ato de colar, ou simplesmente conectar esse elemento a outros, dando a ele outro significado, utilizando-se de seu conteúdo anterior.

A colagem nos remete a um olhar mágico. É um modo de facilitar a investigação e síntese de fatos. Declarada como linguagem de criatividade visual em várias formas de expressão artística, a colagem ainda se define como um jeito de ver, compreender e concluir.

Algumas vezes, elas são bem diferentes e bastante divertidas, compondo com o texto e reforçando as características dessas histórias: situações inusitadas, travessuras, artimanhas.

O jovem e o adulto leitor, que já fora, desde o início, convidado a fazer parte das paisagens visitadas, começa a se sentir de fato parte do livro – e parte do mundo ali representado – identificando-se com os personagens, alcançando um fechamento surpreendente, já que é de surpresas que se faz o genuíno encontro com o outro.

O fato da aproximação das culturas sambaquiana, indígena e ocidental ser contada a partir do olhar de "um menino", dá ao livro a oportunidade de narrar uma parte significativa da pré-história "do país", de um ponto de vista pouco comum.

O autor apresenta um estilo subjetivo, e facilmente compreensível de escrita, despojado de detalhes, personagens e situações supérfluas.

Há simplicidade e sobriedade no texto. Em contrapartida, a imagem transporta o leitor por diferentes espaços e brinca com a percepção, permitindo-se ousadias no uso do tratamento formal ao tratar de temas tão complexos, como o desejo de conhecer esse lugar de conchas, a valorização do olhar estrangeiro àquilo que nos é comum e a complexidade da aproximação de culturas distintas.

Enquanto o texto é direto e sóbrio, a imagem é exuberante e sutil, potencializando poeticamente a narrativa. O leitor mergulha no olhar do menino e transita entre dois mundos distintos articulados pela complementaridade entre as linguagens verbal e visual.

Espera-se que este pequeno livro seja aproveitado por professores e mediadores de leitura, para que muitos leitores em formação possam impactar-se com o que existe de singular neste conteúdo e, assim, ampliar seus conhecimentos. Boa leitura!

PARTE UM

# OS POVOS DOS SAMBAQUIS OU A TERRA SEM MAL

Ao redor de seus onze anos, pirralhos nativos e sem piedade, risíveis arteiros camaleônicos de pés descalços e desconectados, com tambores hipnóticos em punho cantam e assim sentem-se homens plenos. Quase levitam no revolto, bom e belo rio-mar, esconderijo de papagaios.

Corria o esplendoroso verão de 1967, ensolarado em mormaço entre sonhos e insônia.

A vida era intensiva, marinha e submersa. Sobrava tempo. Em uma praia próxima perseverantes homens do mar, sem sobrenomes, sofriam por não mais poder exterminar as "poderosas gigantes do mar".

Sobre casas de madeira escurecida com o cada vez mais raro óleo de baleia, casas que envelheciam como seus donos, nos telhados sobrevoavam em bandos geométricos ou bem-aventurados casais de bem-te-vi ou de beija-flor-tesoura em cores de arco-íris. E não só, mas também: tesourinhas, savacus, pernilongos, gaivotas, garças, piru-pirus, rolinha-picuís, quero-queros, pardais mis.

Mesmo no jardim das rochas havia relva e bromélias em cinquenta tons de verde-musgo.

E bolinhas de gude rolavam, mínimos carrinhos com tração de insetos e pipas coloridasesvoaçavam sob o sol dourado, que lançava luz sobre as pias marias-sem-vergonha, os sérios hibiscos, falsas-íris e lírios-de-um-dia efêmeros, evanescentes e fugazes. Nos quintais os bananais, cafezais, milharais, bambuzais, maracujazeiros, mandiocais. Entre frutas pitangueiras, goiabeiras, abacateiros, jabuticabeiras, butiazeiros, guabirobeiras... o vento entre suas folhas sussurravam e assoviavam. E o ipê-roxo misteriosamente florescia no inverno, signo de bons agouros.

E frutas e frutos caíam de tão suculentos nas tardes desmaiadas.

Em seus banhados, pântanos e lindas várzeas, sobrevoavamsabiás,sanhaços,tiés,araras,maritacas, arapongas, guiraponga, "uiraponga e iraponga", bacuraus, graúnas, saíras, guarás, jaburus, jacus, juritis, jaós, macucos, maguaris, mutums, nhambus, saracuras, seriemas, socós, tangarás, tucanos,

uirapurus, bacuraus, gaviões, urubus, anus,e garças brancas que eram mais lindas que qualquer outra.

E nas águas salgadas do "bom-belo rio" ou lugar das conchas, nadavam nas profundezaspiabas; caranhas, robalos e bagre, anchova, badejo e baiacu; bagre, betara e cação; corvina, espada e linguado; olhete, pescada e peixe-galo; guaivira, tainha e agulha; barracuda e parati.

Espiemos agora nas bordas do rio, os rastros de lobos e de pacas capivaras, gambás, tamanduás, tatus, cutias, e  jaguares, que rondavam as insondáveis matas virgens de além rio-mar, de onde se ouvia ainda o ronco dos macacos bugios por sobre o enigmático rumorejar contínuo das águas.

Torçamos de leve o pescoço e veremos no ar, os seres mais tagarelas e musicais, leves feito pena e distraídos e quase afro-sambaquianos e sossegados, que quase flutuavam, por alamedas ou veredas tropicais, sobre folhas mortas e musgos e com tambores engatilhados.

Sabiam que poderiam nascer e morrer mais de uma vez, e que tinham muitos lugares no rio-mar para se ocultar.

Os dias não eram idênticos e as noites boas caíam. Aguce comigo o olho, quantas formigas-saúvas, pulgas, lesmas, lacraias, mosquitos, borboletas, grilos, lagartos, cigarras, lagartixas, escaravelhos, escorpiões e besouros, de coloração púrpura, que voavam pesados e ruidosos chegando à noite. Enigmática e graciosa e labiríntica a cidade de madeira tropical era cromatizada e sonorizada pelo canto polifônico de aves e insetos e latidos de cães ao longe e berros de nossas mães, somados ao piuiii de comboios de trem noturno e u-uuu de locomotivas e litorinas de luxo e sons soprados do rio-mar e sons de outras pragas e quietudes.

O glorioso, grandioso e bem-aventurado "bom-belo rio-mar" ou parque de diversão, pulsava e era refúgio, natureza nua incontaminada e beleza inexprimível. Nele as coisas boas e belas incessantes revelavam-se.

Na riba do rio cheirava e resplandecia a terra ameríndia, terra brasilis, gloriosa terra papagalli, terra sem mal.

E que raízes eram as expostas às margens do cromático, sinuoso, ambíguo, alternando altos e baixos no rio-mar onde nadavam tartarugas.

Ah, floresta tropical, umedecida e virginal Paisagem de intimidades, delícias, matizes, tonalidades, intensidades – fluido e movediço e plácido e deleitoso, harmonia permanente com a natureza desvestida.

E velhas figueiras de galhos numerosos e multiraiz, com filiações horizontais e verticais.

Ali tudo fluía divinamente, em perfeita paz.

Ah, como são belas as conchas na margem do rio. Tudo muito vívido, mas certa voluptuosidade amolecia as tardes de verão. À noite estrelada meninos comiam ostras e nos bosques de manguezal sagazes caranguejos-uçás entocavam-se e engordavam com prazer.

Moluscos e mariscos e bacucus e ostras sensuais escondiam pérolas em suas profundezas, como o rio ondulante ocultava esse poema que a natureza nua ali compôs e aqui ecoa.

Natura naturata sentida como aparição, como natura naturans de força divina.

E havia a insondável biodiversidade perfeita, multicolorida, iluminada, sonora.

E nada virava sucata, nada era descartável.

Havia as tradicionais famílias católicas centenárias e patriarcais ou matriarcais. Entre elas, os Thomazelli, os Duarte, Sprotte, Santana, Musse,

Miranda, Moreira, Silva, Oliveira, Silveira, Maia, Veiga e Souza, todos habitavam e imperavam no cenário paradisíaco do lugar das conchas.

Enquanto isso, na hostil praia Brava da Barra do Sul, havia – conta-se –, armações baleeiras mortíferas ou máquinas de guerra marinha e ferozes e primitivos e furiosos pescadores solares cortadores de cabeça das "poderosas gigantes do mar".

*L'enfer c'est les autres.*

Litoral atlântico caleidoscópico e multicultural, primitivo e de rapazinhos supersticiosos, que cavalgavam em cavalos-marinhos e que escreviam numa língua e falavam em outra.

Ali, todo mundo era sambaquiano, exceto quem não era.

Isso já daria outro canto quase meigo.

## PARTE DOIS

### O DESPERTAR DA LETARGIA DA MORTE. CLÍMAX TROPICAL MUITA (C)ALMA NESSA HORA

Quis o acaso-feliz ou a contingência que aflorasse esquelético, *sambaquiano* e quiçá ancestral remoto do heroico Peri, e fosse achado, por brincantes sonhadores que navegavam submergidos em uma canoa virada de um pau só, às vésperas do Natal de 1967, em um museu-santuário a céu aberto, o e-book paleoarqueológico ou necrópole onde se lia a história pré-cabralina e sua religiosidade profana.

Eram montes de conchas deixados por sambaquieiros-pescadores-solares quase nômades, que ocuparam as margens do rio-mar antes da "peste branca" chegar.

O tesouro foi achado em outra margem do "rio-mar de águas azuis e salgadas", que bordeja essa pindorama de felicidade perfeita, onde ficaram restos esqueléticos de sambaquianos de sujeitos falantes que, como por magia, acabaram se transmutando em cal, talco, adubos, saibros e conchas, em sombrios, assombrados e luminescentes caminhos.

Lembra, *enfant terrible*, que és pó e que, em luz, hás de te tornar.

Criatura autóctone, nu e pura demais, digna de ser o eterno nativo primeiro, pré-cabralino, guerreiro nobre e valente, talvez inscrita na antiga genealogia *sambaquiana* or not *sambaquiana*.

E o "bom-belo rio-mar" era o caminho das poderosas gigantes do mar.

Babitongas e barcaças e frágeis canoas de um pau só levitavam ou flutuavam ou boiavam na moleza desse rio-mar mudo, onde a lua, redonda e pálida, se espelhava.

Que gozo epifânico era devanear ou compartilhar alegria nessa paisagem de brisa marinha, salgada e úmida, de esplendor sideral e deslizar submersos ou montados no dorso das "poderosas gigantes do mar", por entre algas e translúcidas águas-vivas!

Caboclos-lunares e pescadores-solares não podem dar prova fidedigna dessa cena ameríndia indigna.

Fato é que essa relíquia esquelética sambaquiana humana foi reverenciada e restou camuflada, abandonada em um grande baú escuro empoeirado, escondido com outros trastes – lá onde ficava o solitário sótão de altaneiro casarão retrô, todo ele erguido em madeira de aroeira perfumada.

No jardim botânico ou viveiro de certo clã antigo, havia também cravos, lírios, orquídeas, violetas, alfaces, galos e porcos.

Havia um periquito de estimação com penas verdes e amarelas enfeitando a vida trêmula. "Eh! eh", fazia ele.

E um ganso que se chamava Lisa.

Convivia-se com fraternos miaus, au-aus, cocoricós e tantos outros apelos de meigos bichos de estimação, familiares e não utilitários, mais humanos quando olhavam do que seus cruéis cuidadores.

E se escutava o sibilar, cacarejar, grugulejar, grunhir, chilrear, gorjear, uivar, relinchar, coaxar, grasnar, balir, berrar, rugir, zumbir, arrulhar, mugir e crocitar dos meigos animais semi-humanos.

Estranhos eram as atemporais sacras ossadas de nobre, de brioso e bravo guerreiro, que estavam a poucos passos do quarto da criança, cuja luz, na calada da noite, tremulava com receio de que investisse pelo corredor do antigo casarão de madeira de aroeira perfumada algum fantasma *sambaquiano*.

Para o bem, talvez mais para o mal, não ocorreu vingança nem maldição dos supremos deuses Tupã ou Maíra, ou outro de sua cosmologia xamânica, ao flâneur narcisista, que, submerso e levado pela correnteza das águas salino-azuladas, desvendou o santuário-sambaqui pré-cabralino.

Nem se cantaram epopeias ao extinto filho da poderosa, extinta, abandonada, arqueológica, paleontólogica e perdida e "desterritorializada" nação sambaquiana.

Indigna[da] ou indígena.

Posto que à época o sobrenatural transmutava o natural e o sagrado era profano, passou-se o tempo e, a vida cotidiana seguiu seu curso ordinário.

# PARTE TRÊS

## CANTO DE LIBERTAÇÃO MEIGO QUASE CORO-POLIVOX

Certa manhã de luminosa e festiva sexta-feira, quente e chuvosa – quando se ouviam trovoadas a certa distância –, um estranho e espantoso mistério protagonizou o encantado cotidiano, deflagrando este canto terno.

Entre murmúrios e vozerios tensos de criadas católicas, virgens e virtuosas, entre sussurros abafados, no outro lado da parede, as orelhas espichadas e o coração acelerado escutaram a abominável palavra "delito".

Delito: a evidência era a fosforescente ossada do beligerante canibal, eterno *sambaquiano*, no sótão empoeirado encontrada.

Uma aura de assombro estremeceu o cenário.

Seria mais do que insano fazer qualquer rumor.

A questão era apenas de cumprir os solenes rituais fúnebres, no ventoso entardecer.

Não se sabe nem como e nem por que, mas, em segredo e a pedido de senhoras católicas piedosas, o coveiro sepultou o ataúde – sem pompa e circunstância –, com ossos anônimos e pagãos, não batizados ou crismados ou evangelizados, e sem epitáfio ou coroas de flores ou oferendas fúnebres, no luminoso, marmóreo e eivado de ervas daninhas campo-santo.

O cortejo fúnebre não passou pela sacristia da igreja matriz do belo-bom Jesus do rio-mar.

E o esclarecido, esquecido e consagrado reverendo foi consultado. O passado do esquelético *sambaquiano* foi absolvido: "Um pecado contém todos os pecados".

A Água Santa lavou este pecado infantil.

Não houve badaladas de sinos e nem procissão.

E no confessionário, isolado por treliças, não se atribuiu ao menino excêntrico nenhum pecado capital. O céu, purgatório e inferno confundiam-se naquela terra de conchas.

E não se ouviu a doçura de uma ave-maria; tampouco, vaia.

Nada foi pago por se camuflar um molho de ossos esqueléticos reluzentes em um ataúde que foi transportado, depois de muitas orações para o

negror do céu, e transplantado no cristão e ermo cemitério que cheirava a lírio e velas derretidas.
E não foi digno de sepultura ou de morte sedimentar.
Bastaria um signo qualquer, uma simples pedra, para ver que o homem sambaquiano não se reduz à sua vida, já que, uma vez extinta ela, resta ainda alguma coisa de seu corpo. Não restou o símbolo incorporado por ele – a morte que ali se deposita.
É preciso que a morte se deposite na vida, é preciso que o sujeito seja impregnado pela morte.
Eros e Tanatos nomeiam nossa trajetória.

Não há batalha entre duas forças distintas e articuladas – ao modo do Yin e do Yang. De tão interdependentes, não se pode nem mesmo dizer que uma represente a vida e outra a morte.
Tanatos, como força essencial de desorganização e dispersão promove o fim.

Eros, porém, também o faz, pois responde pela formação de agregados, por uma fusão generalizada que leva à inércia e à paralisação. O império de Eros, mesmo garantindo a sobrevivência da espécie, leva à morte do sujeito. Tanatos não é apenas limitação, oponente inseparável de Eros, é sua própria substância. É preciso que haja dispersão para que novos agregados se façam.

E só há evolução sob a marca de Tanatos.

As andorinhas temporãs ainda cantavam nos telhados.

Quem sabe, reverenciavam sua divindade.

Esse pecado e seus detalhes muito picantes viraram segredo de família; nada mais foi dito nem contado ou cantado sobre a transfiguração.

O silêncio pairou sobre o mistério; e culpado não foi achado e nada foi desvendado.

Por amor à memória, tampouco confissão foi exigida do mestiço e leviano profanador do santuário sambaquiano daqueles ancestrais ameríndios de paisagens deslumbrantes, preguiçosas e cintilantes – onde mulheres-iracemas (anagrama de "américas") crescem belas, fortes e bem desabrochadas, como as rosas silvestres de seus jardins.

Quem viu a inesquecível superabundância do divino sítio de conchas, primitivo e esquecido, já foi arrebatado por beleza suficiente para o que resta de vida.

A história sobrepairou como canto meigo que não foi cantado – tal qual a vida (ou morte) em seu curso costumeiro.

O manto diáfano da fantasia enfeitiçou as palavras deste canto de libertação meigo e quase coro-polivox, conto paleantropológico quase ficção ou quase real ou carta para as Icamiabas.

Pelo sim ou pelo não, o quase certo é que as coisas não seriam como são: as coisas seriam quase palavras-metáforas ou palavras-metonímicas ou palavras-paranomásicas.

Certeza polissêmica era a presença extraordinária de fantasmas de sambaquianos, que assustava, assombrava e estremecia os moradores, na no arrastando-se pelos corredores e pelos cantos daquele antigo e imenso casarão de madeira de aroeira perfumada.

Nessa aquarela que era então o lugar das conchas, não se viam vampiros, bruxos, duendes e faunos.

## PARTE QUATRO

### SAMBAQUIANOS QUE SE SENTIAM SUJEITOS HOMENS E MULHERES

Século XXI... viver e palpitar e dançar e sonhar e pulsar e cantar esse resíduo — esse resíduo, esse caput mortuum, essa morte absoluta, esse esquelético *sambaquiano* que se tornou flor, que aflorou para causar a quase desordem simbólica do mundo da história ameríndia.

Ele transfigurou o sentimento da vida daquilo que antes estava separado e isolado e abandonado.

Vidas invisíveis, singulares, irredutíveis e reduzidas.

Qual a vida secreta das palavras dos sambaquianos?

Sem quase cyberativismo ou sem quase #MeToo movement. Cypherpunks escrevem seu próprio código e sabem que alguém tem de escrever o software para defender a privacidade.

Eles sabem que o software não pode ser destruído e que os sistemas distribuídos como blockchain não podem ser desligados.

A vida evocada está acantar o homem *sambaquiano*, ex-nômade e ex-migrante paleoasiático – aquele que aqui viveu há quase oito milênios.

Coisas santas e puras ou sacrílegas e impuras tornavam-se sagradas: ou porque deveriam ser isoladas, ou porque inspiravam respeito, ou porque causavam pânico, como o esqueleto humano de sambaqui paleoindígena achado e depois plantado em uma triste e solitária sepultura, num esquecido cemitério cristão.

Dizer religioso redutivo como solução humana e não humana para se transcender e acessar o extraordinário da ordinária vida obscura, o viver confuso do sujeito "sambaqui-bom-belo-rio".

Híbrido post-paleontológico ou canto meigo quase coro-polivox *sambaquiano* ou rapsódia que se teclou "a jato" na tela do WhatsApp.

Paleopoema viral e antropofágico, bioarqueológico e museológico, virilização do poema, Instagram post-experiência.

Antropofagia, deglutição, assimilação e rejeição, ritual de devoração das qualidades guerreiras do inimigo vencido.

Quase "bendito", quase em transe; quase nova e plural realidade do homem sambaquiano; quase signos de novo amor. Ossos secos abandonados

que geraram vidas reduzidas; destino de ser falante *sambaquiano* feminino e masculino – exterioridade, separação e opacidade interposta ao império dos ideais do outro; inspiradas e deslumbrantes imagens ou inspiradas ou melhores palavras tupis; idioma quase invisibilizado e perdido, desprezado, segregado, inútil.

A amnésia propicia a superficialidade e o hedonismo, o consumismo e as máscaras como forma de simulação, engendrando quem sabe uma sociedade narcísica de insatisfação e vazio existencial.

Num mundo em crise de palavras plenas, sem utopias, sem autoridade, sem sonhos, resta o imediato, o agora, o carpe diem.

Viver às margens da memória de acontecimentos vividos: emoções, reflexões, vivências, sentimentos de alegria, de infelicidade – tudo o que constitui a vida humana.

Nessas águas do rio-mar da vida, vogamos, conduzidos pelas memórias dessas ocorrências, memórias descontínuas ou vivas como se hoje permancessem estáticas e extasiassem ou mortificassem. Old times que insistem e resistem à indiferença antissolidária falocêntrica.

Metade da alma era feita de maresia e , metade de palavras cantadas.

Os garotos levados, inebriados e deslumbrados levam o rio das conchas tatuado na pele.

Gaio saber seria dizer bem, seria "bem-dito" – o dizer sagrado contra o rejeitar, o excluir, o negar, o julgar ou o proibir o sujeito sambaquiano de existir; sujeitos são outros seres falantes e não falantes; são jaguares ou onças; e a impensabilidade e a indispensabilidade e a imprescindência *sambaquianas* de jaguares e onças e outros falantes e não falantes não cessam de acusar, acuar, ecoar e estremecer a humanidade universalizante e falocêntrica.

Criminosos pálidos por sentimento de culpa.

Quantos dos criminosos se incluem entre os "pálidos"?

Sociedade ateísta, desprovida de rituais, sem mensagens que lembrem o transcendente, civilização que deixa o sujeito despreparado para a extinção final....a vida era aventura coletiva e nada era fatal.

Por ser nada, o desejo é como o vento, vapor e tempestade, aquilo que "alimenta o fogo, atormenta o mar, arrepia o corpo, joga o ar no ar, leva o barco a vela, levanta os lençóis, entra na janela, leva minha voz...".

"Nuvens de areia, folhas no quintal, canto de sereia, roupas no varal...".

Quase maldita rapsódia para o dizer clássico de Horácio e Virgílio e Dante.

Oh Yeshua, salve o povo sambaquiano! Oh Yeshua, fazes falta...

Os sambaquis-pirâmides são testemunho de outras vidas, com seus sepultamentos que podem contar mais pedaços da história interrompida.

A arte ou a vivência da natureza está expressa na produção mental materializada através da arte de quem deu forma à rocha, nos zoólitos e artefatos únicos.

Esse passado, quando tudo estava intensamente bem-bom, que não passa mais!

E essa saudade divina da infância, essa melancolia, quando vai terminar?!

Incurável e inútil nostalgia da terra papagalli ou brazuca sem males que bem podia ser ainda o lugar das conchas.

Evoé, hedonistas que sentiam prazer de estender-se na areia, depois de um mergulho, que habitavam o território sambaquiano e não a cartografia reducionista e científica e etnocêntrica!

Nascer, viver, morrer e renascer na garça branca que corta o ar.

Perder quase o caminho e errar ao acaso.

Querer o que não se tem, e ter brandamente o que não se quer.

As marcas da experiência subjetiva do sagrado profanado permanecem, experiência fundadora da brasilidade na vida dos falantes.

E a voz ergue a epopéia *sambaquiana* de humanos desocidentalizados antes da humanidade.

Canta contra a amnésia ou a ignorância total e não se cala. Vagamente o sentimento de vida meio que se esvai; divinos detalhes de paleocomédia ou paleotragédia sambaquianos quase se perderam; emerge a sensação de cenário de não lugar de conchas.

Jamais esquecer que a memória é mármore identitário cultural e sua perda é quase irreversível; no seu lugar, emergem simulacros inautênticos da cultura extinta.

Egressos da tempestade, exilam-se novos Ariel, Caliban (anagrama de "canibal") e Próspero.

Surge a softwarização de novos prazeres, novas satisfações... Nunca suficientes para os meninos que sempre querem mais.

E "quem dera ao menos uma vez fazer com que o mundo saiba que seu nome está em tudo e mesmo assim ninguém lhe diz ao menos obrigado."

Eis o lento e luminoso rio-memória que flui e espelha nuvens furta-cor, o rio que jamais se extingue.

E a vida mais água-sombra de poço do que água-viva que flui no rio-mar.

Destino quase alienante kitsch e pastiche para quem perdeu a rota ou o GPS.

Rio-mar noturno, interminável e tardio a deslizar macio pelo ermo e que, em seu curso sideral, leva devaneios iluminados de paixão na treva.

Para o espaço sem fim de um oceano interminável.

O tempo transforma este espaço líquido. E o rio-mar ficou insuflado de encantos místicos. Na ondulação ou nos seus espasmos, seduz, acalma, amedronta, confronta e nutre sonhos e corpos.

Flui sem volta...

E tudo se passa no imenso rio-mar, menos o rio-mar:

rio-mar que não para de desaguar.

A luz do sol dançava nas ondulações da água.

E havia meninos singulares. Momentos dourados da vida, despreocupada e livre, vivida junto ao rio-mar.

“Ei, *sambaquiano*, pai nosso, onde e quando vamos despertar?”

Todo mundo era intoxicado por aquela tamanha beleza, no lugar das conchas. E não se queria mais. E tudo era suficiente, desde que apenas fosse. E a vida era aventura coletiva. Nada era fatal e havia arco-íris no céu.

Sem vitimizados ou blá-blá-blá.

Sem gente se desumanizando epidemicamente.

O sofrimento humano sambaquiano é exatamente esse nosso, e não o de algum ser ancestral que em nós resida. O luto é “arcaico”. Nele refugiam-se o antigo, o espiritual, enfim, tudo o que ainda possa escapar do universo tecnológico.

O pior: a pobre natureza tem deixado o posto de sagração das divinas escrituras, do imutável, dos desígnios celestes, tem se tornado um canteiro universal de obras. Tudo está quase museologicamente bem resolvido: preservar ou nauralizar ou museologizar sambaquis?

Mundo sem transcendência, de total imanência.

Mas a verdade é que os resplandecentes sambaquis não podem jamais ser esquecidos.

Há sempre algo que não pode ser dito e que nos prende a algum lugar. É o que legitima a pergunta:

o que realmente se perde quando alguém se vai do lugar das conchas? Não se perde o lugar nesta ou naquela característica. Certamente não apenas pela luminosidade ou os cinquenta tons de verde musgo do lugar perdido. Afinal, cada um destes atributos, positivos ou negativos, pode ser encontrado em outros lugares. Por mais que o nativo faça a lista das qualidades do lugar da infância, sempre haverá a certeza de que algo permanece fora de alcance, ainda impronunciado. Esse "algo" se situa no objeto de nossa afeição como marca do indizível, assegura que será impossível esgotar, pela nomeação, o que se perdeu.

Boa surpresa!

É tempo de concluir e o dito, o realizado – sempre muito menor do que tudo que se poderia dizer e aqui está, virtualizado.

Quase desfecho ou novo início ou tudo de novo. Work in progress (WIP).

## NOTA BIOGRÁFICA DO FABULADOR

O fabulador - nascido em Araquari, SC, e radicado desde 1973, em Curitiba, PR - é, entre outras coisas, Ph.D in Law e é Professor titular de Direito aposentado da PUC/PR e Procurador do Estado do Paraná inativo. Formalizou mais de 25 livros jurídicos. Esta produção fabulatória fala sobre a origem misteriosa do povo sambaquieiro, que não integra ainda a pré-história cabralina no Ensino Básico.

# ELUCIDÁRIO OU GLOSSÁRIO

Rio do esconderijo dos papagaios: tradução livre, leve e solta da palavra araquari: "ara" (papagaio), "quara" (esconderijo) e "y" (água, rio), resultando em "rio do esconderijo dos papagaios".

Polivox: trata-se de uma homenagem ao poeta Rodrigo Garcia Lopes, que produziu um livro de poesia intitulado Polivox, dividido em seis partes: Polivox, Thoth, Satori Uso, Pensagens, Latrinália e Coda. Em vista da fluidez da matéria, no sentido de que há uma busca intensa por determinação de ser nas linguagens, ou determinação de ser das coisas, pelas linguagens, Polivox denota o império do transitório. A potência, como poder dos meios, é levada às últimas consequências, quando o poeta persegue o sentido do que é fugaz – sem, contudo, alcançá-lo, dissecá-lo (que a virtù não é essa), e sim demonstrá-lo, no seu sadio movimento vida/morte. Começaria qualquer discurso sobre Polivox com "O homem não é contemporâneo de sua origem. Aumentemos o volume da linguagem" ou "A dança do duende entre a floresta de signos". Verdadeiras preciosidades hão de ser encontradas sob as pedras que há de haver e há em qualquer livro de poesia (floresta de signos híbridos). O minério mais rico não dá mesmo à flor da terra. Os versos acima foram extraídos de c:/polivox. doc primeiro poema, da sessão Polivox.

# POSFÁCIO

Quando li *canto-quase-coro-sambaquiano* a primeira vez tive a certeza de que estava diante de peça única, e ao mesmo tempo ramificada de uma tradição literária de meninos-personagens que devêm e derivam de homens-escitores. Não é errado afirmar que o menino de Araquari é aparentado em ganas e peraltices a Geraldo Viramundo, que pode ter-lhe ensinado algumas travessuras, apenas para ficarmos no ramo mais próximo dessa linhagem, que inclui os romances de formação em geral, mas também trocadilhos, trava-línguas e outras sacanagens. Mas há um quê de especial nessa obra de Francisco Duarte, e não me refiro apenas ao seu estilo de escrita livre – fazendo juz ao universo retratado – que desliza entre a prosa, a poesia e o ensaio, com a canoa emborcada, que nem os meninos descendo o rio. Tampouco me refiro apenas a penas, digo, aos periquitos, papagaios e demais aves que possam habitar esse recanto, embora isso diga respeito também a elas. Como eu estava falando, o *Q* de especial é sentido, mais do que compreendido, por qualquer um que já tenha passado perto dos manguezais, restingas e terrenos baldios dessa região do sul do Brasil e o que sobrou de sua exuberante Mata Atlântica, tendo parado, obviamente, para comer uma pitanga ou um araçá do pé, dependendo da época. Assim que os sambaquis, que marcam a rota das tainhas e outros peixes migratórios – pois formados por montanhas milenares de conchas de moluscos, usados como isca na disputa com as aves marítimas – marcam também o território desse povo antigo que deixou sua memória nos costões e estuários do litoral atlântico. Nisso, o canto-quase-coro deve mais a Wilson Rio Apa e seu Menino-Espia do que a Willian Golding e seus meninos e porcos assustados. Há quem considere, como eu, o primeiro maior que o segundo, ao menos na relevância para esta região do mundo, quando não no apuro estético de sua obra magna. Mas sem dúvida é seguindo o curso do primeiro (ou o curso dos lanços de tainha) que nós nos encontramos aqui. É essa coexistência do primitivo com o contemporâneo, que compartilham a mesma brisa densa e constante do mar, que nos une, *sambaquianos*, leitores e meninos.

E essa brisa sopra do livro que acabamos de ler, por isso saímos dele com o espírito renovado. A mensagem a seguir é uma crítica que fiz imediatamente após a leitura, e cabe ao autor publicá-la ou não junto com este pósfacio:

Oi Chico, acabo de ler o seu livro, obrigado pela oportunidade. Aqui vão alguns comentários: 1) sem dúvida você tem estilo literário marcante, e alguns trechos do livro são belíssimos, como "Metade da alma era feita de maresia e a outra metade de palavras cantadas. E os garotos levados e inebriados e deslumbrados levam o rio das conchas tatuado na pele" (p. 33), ou "Enigmática e graciosa e labiríntica wood town tropical cromatizada e sonorizada pelo canto polifônico de aves de rapina e insetos e latidos de cães ao longe e berros maternos e piuiii de comboios de trem noturno e u-uuu de locomotivas e litorinas de luxo e sons soprados do rio-mar e sons de outras pragas e quietudes" (p. 14), ou ainda "Certa voluptuosidade amolecia as tardes em época primaveril de meninos impertinentes e comedores de ostras e as noites eram estreladas nos bosques de manguezal, onde sagazes caranguejos-uçás entocavam-se e engordavam." (p. 16). 2) Achei desnecessário ter notas de rodapé para termos em língua estrangeira (rock gardens etc) ou termos da cultura digital (no fake, e-book etc), já que você se apropria deles e os insere em sua narrativa canto quase coro (algo que remete duplamente à oralidade, forma de expressão que não vem com nota de rodapé). 3) Se pensarmos na estrutura narrativa, o clímax vem muito cedo, já na parte 2 (de acordo com o subtítulo), que na verdade faz conjunto com a parte 3, tornando a parte 4 desprovida de conteúdo narrativo e mais voltada a reflexões poéticas e especulações filosóficas, o que não compromete sua beleza nem sua importância literária. 4) Em minha opinião, enquanto escrita poética está muito bom, mas enquanto narrativa faltariam alguns elementos como: personagens, diálogos, trama, conflitos etc. 5) De qualquer forma, acho que compreendi o caráter Polivox do texto e sua não adequação a qualquer rótulo ou subdivisão imposta por acadêmicos ou escolas literárias. Parabéns pela escrita e sucesso com o livro.

JOÃO FRANCISCO KLEBA LISBOA é Doutor em Antropologia Social pelo Programa de Pós-Graduação em Antropologia Social da Universidade de Brasília.
E-mail: jfklisboa@gmail.com.

# NOTAS DO NARRADOR E AUTOR

1) Sobre o conteúdo:
Esta é obra de ficção; qualquer semelhança com nomes, datas, eventos e pessoas reais, vivas ou mortas, é mera coincidência.
Autoriza-se a reprodução e divulgação parcial ou integral deste livro, por qualquer meio convencional ou eletrônico, para fins de estudo e pesquisa, desde que seja citada a fonte.

2) Quanto à forma
Esta obra passou por uma revisão textual apurada; mesmo assim, pede-se desculpa ao leitor por alguma falha na escrita.

Para quem seja menos familiarizado com a sua linguagem, foi colocada nota de rodapé na página onde se acha termo ou expressão de uso raro – em vez de um glossário no fim do texto. Por esse motivo, alguma página ficou com as notas de rodapé maiores do que o seu conteúdo.

Foi adotado itálico para o termo sambaquiano, como suposto neologismo do autor; é possível ter restado ainda palavra de uso muito singular, mas, nesse caso, apela-se para a tolerância do público leitor e pede-se a ele que recorra ao dicionário ou fonte similar.

Em respeito ao colaborador Prof. Dr. Jaime Sant'Anna, que escreveu a orelha direita da obra e ventilou possível desconhecimento pelo público infantil, dos termos "superabundância", "diáfano", "aura", "coro-polivox", "metáforas" e "metonímias", acrescentou-se nota de rodapé explicativa para cada termo.

## REFERÊNCIAS


AFONSO, Victor. O leitor é flâneur? O homem que sabia demasiado, 17 ago. 2014. Disponível em: <http://ohomemquesabiademasiado.blogspot.com/2014/08/o-leitor-e-flaneur.html>. Acesso em: 3 set. 2018.

BATISTA, Pollyana. O que é o movimento #MeToo. Disponível em: <https://www.estudopratico.com.br/o-que-e-o-movimento-metoo/>. Acesso em: 3 set. 2018.

DICIO. Falocêntrico. Disponível em: <https://www.dicio.com.br/falocentrico/>. Acesso em: 3 set. 2018.

DONATO, Hernani. Os índios do Brasil. São Paulo: Melhoramentos, 1995.

FAUSTO, Carlos. Os índios antes do Brasil. Rio de Janeiro: Jorge Zahar Editor, 2000.

FUNARI, Pedro Paulo. Arqueologia. São Paulo: Contexto, 2003.

______. Cultura popular na Antiguidade Clássica. São Paulo: Contexto, 1989.

FUNARI, Pedro Paulo; NOELLI, Francisco Silva. Pré-História do Brasil. São Paulo: Contexto, 2002.

GASPAR, Madu. A arte rupestre do Brasil. Rio de Janeiro: Jorge Zahar Editor, 2003.

______. Sambaqui: arqueologia do litoral brasileiro. Rio de Janeiro: Jorge Zahar Editor, 2000.

HECK, Egon; PREZIA, Benedito. Povos indígenas: terra é vida. São Paulo: Atual, 1999.

HOUAISS, Antonio; VILLAR, Mauro de Salles. Dicionário Houaiss de Língua Portuguesa. Elaborado pelo Instituto Antônio Houaiss de Lexicografia e Banco de Dados da Língua Portuguesa S/C Ltda. Rio de Janeiro: Objetiva, 2009.

KERN, Arno Alvarez. Antecedentes indígenas. Porto Alegre: Editora da Universidade, 1994.

LAVER, James. A roupa e a moda: uma história concisa. São Paulo: Companhia das Letras, 1989.

LEWIS, Roy. Por que almocei o meu pai. São Paulo: Companhia das Letras, 1993.

MUNDURUKU, Daniel. Histórias de índios. São Paulo: Companhia das Letrinhas, 1996.

NEVES, Eduardo Góes. Arqueologia da Amazônia. Rio de Janeiro: Jorge Zahar Editor, 2006.

NEVES, Flávia. Paronomásia. Disponível em: <https://www.normaculta.com.br/paronomasia/>. Acesso em: 10 set. 2018.

OLIVIERI, Antonio Carlos. Pré-História. Coleção: O cotidiano da História. São Paulo: Ática, 2007.

MORENI, Maria. História do Estado de São Paulo. São Paulo: FTD, 2001.

PELLEGRINI, Domingos. No começo de tudo. São Paulo: Nova Alexandria, 2002.

RIBEIRO, Berta. O índio na História do Brasil. São Paulo: Global, 2001.

RIBEIRO, Marily Simõe. Arqueologia das práticas mortuárias: uma abordagem historiográfica. São Paulo: Alameda, 2007.

SCATAMACCHIA, Maria Cristina Ribeiro. O encontro entre culturas. Coleção: A vida no tempo do índio. São Paulo: Atual, 1994.

VIDAL, Lux. Grafismo indígena. São Paulo: Edusp, 1992.

VIVEIROS DE CASTRO, Eduardo. A inconstância da Alma Selvagem e outros ensaios de Antropologia.

São Paulo: Cosac & Naify. 2002. p. 195. ROSSATO, Noeli Dutra. Natura naturans, natura naturata: o sistema do mundo medieval. Disponível em: <http://w3.ufsm.br/reciam/resenha.php?IDResenha=230>. Acesso em: 9 set. 2018.

SIGNIFICADOS.COM. Ebook. Disponível em: <https://www.significados.com.br/ebook/>. Acesso em: 3 set. 2018.

WHATSAPP. Home. Disponível em: <https://www.whatsapp.com/?lang=pt_br>. Acesso em: 3 set. 2018.

WIKIPEDIA. Fake. Disponível em: <https://pt.wikipedia.org/wiki/Fake>. Acesso em: 3 set. 2018.

______. Kitsch. Disponível em: <https://pt.wikipedia.org/wiki/Kitsch>. Acesso em: 10 set. 2018.

______. Maíra. Disponível em: <https://pt.wikipedia.org/wiki/Maíra_(mitologia)>. Acess em: 10 set. 2018.

______. Pastiche. Disponível em: <https://pt.wikipedia.org/wiki/Pastiche>. Acesso em: 10 set. 2018.

______. Retrô. Disponível em: <https://pt.wikipedia.org/wiki/Retrô>. Acesso em: 3 set. 2018.

______. Tupy or not tupy. Disponível em: <https://pt.wikipedia.org/wiki/Tupy_or_not_tupy>. Acesso em: 3 set. 2018.

______. Work in progress. Disponível em: <https://pt.wikipedia.org/wiki/Work_in_Progress>. Acesso em: 9 set. 2018.

VIDA
SAMBAQUIANA:
ARTEIRA
E
INTENSIVA

PARA

Wilson Bueno (in memoriam)
Paulo Leminski (in memoriam)
Alice Ruiz
Rodrigo Garcia Lopes
Rogério Pereira
Estrela Leminski
Ricardo Corona
Jussara Salazar
Josely Vianna Baptista
Maurício Arruda Mendonça
Guilherme Gontijo Flores
Jaques Brand

LIMITES AO LÉU (POESIA)

Words set to music (Dante via Pound)
Uma viagem ao desconhecido (Maiakóvski)
Cernese medulas (Ezra Pound)
A fala do infalável (Goethe)
Linguagem voltada para a sua própria materialidade (Jakobson)
Permanente hesitação entre som e sentido
(Paul Valery)
Fundação do ser mediante a palavra (Heidegger)
A religião original da humanidade (Novalis)
As melhores palavras na melhor ordem (Coleridge)
Emoção relembrada na tranquilidade
(Wordsworth)
Ciência e paixão (Alfred de Vigny)

Se faz com palavras, não com ideias (Mallarmé)
Música que se faz com ideias (Ricardo Reis/ Fernando Pessoa)
Um fingimento deveras (Fernando Pessoa)
Criticism of life (Matthew Arnold)
Palavra-coisa (Sartre)
Linguagem em estado de pureza selvagem (Octavio Paz)
Poetry is to inspire (Bob Dylan)
Design de linguagem (Décio Pignatari)
Lo impossible hecho possible (Garcia Lorca)
Aquilo que se perde na tradução (Robert Frost)
A liberdade da minha linguagem (Paulo Leminski)
Toda poesia (Paulo Leminski)

AGRADECIMENTOS

Canto compartilhado, composto em meio às tramas da parceria, da cumplicidade e de muita conversação e escuta com a infatigável psicanalista lacaniana Dra. Gleuza Salomão. O conto foi construído por mim – diante de sua orientação e de seu olhar poético e literário – combinação realmente rara em tempos de vida acelerada e utilitarista. A ela, rendo minhas sinceras homenagens.

Agradeço e listo e cito – assim a esmo e sem nenhuma ordem ou hierarquia ou distinção social – as belas e honradas e singulares pessoas de bem que me marcaram e, de algum modo, tive a fortuna de conhecer e conviver, e me inspiraram e impactaram e me influenciaram: Prof.a Sueli Hreisemnou de Oliveira, Dr Aci Oliveira (in memoriam), Prof. Dr. Leonel Severo Rocha, Prof. Dr. Luis Alberto Warat (in memoriam), Dra. Beatriz Udenio, Prof. Dr. Edmundo Lima Jr., Prof. Dr. Luis Henrique Cadermatori, Prof. Dr. Sergio Cadermatori, Prof. Dr. Germano Schwartz, Dr. Claudio Pacionick, Dr. João Suplicy, Karla

Suplicy, galerista Marco Melo, Renato Frota, Dra. Maria Fatima Ramos, Sra. Walquiria Silva (in memoriam) e Dra. Sueli do Rocio Silva, Dra. Anita Caruso, Dr. Fernando Puchta, Dr. João Osório, Dra. Teresa Pavone, Dr. Tércio Sampaio Ferraz Jr., Dr. Narelvi Malucelli, Dr. Augusto, Prolik (in memoriam), Dra. Ligia e Dr. Rolf Koerner Jr., Dr. Wilton Paese, Dr. Fernando Antonio Miranda, Dr. Ivo Ribeiro, Dr. Rogério, Sr. Rubens, Des. Roberto e Dr. Romeu Portugal Bacellar, Dr. Manoel Eugênio Munhoz e Dr. Alcides Munhoz Neto (in memoriam), Dr. Floriano, Sra. Gleni, Sr. Mauro e Dr. Maurício Galeb, Dr. Manoel Brandão, Dr. Rolan Asson, Dra. Aldacy e Dr. Jacinto Miranda Coutinho, Dr. Divanil Mancini, Dr. João Roberto Santos Regnier, Dra. Maria Lucia Chemin, Dr. André Vasconcelos Roque, Sr. Nilo Renato Braga, Dr. Fernando Ghignone, Dra. Ana Ghignone, Nadya Siqueira, Dr. Antonio Carlos e Dr. Walmor Coelho, Dr. Eduardo Rocha Virmond, Dr. Eduardo Alberto Virmond, Governador José Richa, Dr. Eduardo Appio, Dr. Alfredo Alvacir Nicz, Dr. Roberto Linhares, Dra. Maria Regina Nissel, Dr. José Frederico Mares de Souza Filho, Ministro Luis Edson Fachin e Des. Rosana Fachin, Dr. Luis Carlos Marinoni,

Dr. Oscar Guiss (in memoriam), Dr. Elio e Dr. Faurlin Narezi (ambos in memoriam), Dr. Sérgio Botto de Lacerda, Sr. Gil Luis Caldas, Sr. Gil Luis Caldas Filho, Dr. Dicler Assumpção, Dr. Jaime Sant'Anna, Dr. Jairo Sant'Anna, Dr. Paulo Henrique de Arruda (in memoriam), Dr. Luis Geraldo Mazza, Sr. Wanderley Dambrosio, Dr. Joaquim Munhoz de Melo, Sr. Mauricio Fruet, Dr. Egas Dirceu Munhoz De Aragão, fotógrafa Luciana Petrelli, Dr. Mario Petrelli, Dra. Karina Magatão, Dr. Francisco Aciolly, Dr. Lino Bortolini (in memoriam) e Ir. Dário Bortolini, Sra. Lais Peretti (in memoriam) e Sr. Percy Peretti, Dr. Mauro Maranhão, Dr. Manoel Caetano Filho, Sr. Ricardo Tacla, Dr. Rosinha, Dr. Cid Rocha Filho, Sra. Magda e Sr. Ney Romanó (in memoriam), Des. Maria Aparecida Bertulio, Dra. Dora Lucio Bertulio, Sr. Rubens Marcicano, Dra. Teresa Alvim e Dra. Teresa Celina Arruda Wambier, Dr. Ubirajara Gasparim, Des. José Maria Arruda Alvim, Des. Acácio Cambi, Des. Sidney Mora, Des. Luís Carlos Freysleben, Dr. Valdecir Mascarello, Sra. Maria Lucia Mascarello, Dr. Rosinha, Dr. Abdo Kudri, Des. Abraham Miguel, Dr. Francisco Cunha Pereira, Dr. Niklas Luhmann, Dr. Rafaelle di Giorgi, Dra. Juliana Magalhães, Dra. Ana Rodes, e tantos outros não referidos que se considerem incluídos nessa dedicatória absolutamente afetiva.

Sou grato ao meu erudito e helenista editor Salvio Kotter, pelo intercâmbio constante e prazeroso que pudemos estabelecer.

Além deles, agradeço também aos criativos artistas plásticos Sr. Lucas Salgado e Sra. Maria Aparecida Medeiros, por terem se ocupado com o projeto de ilustração do livro, realizando projeto de oficina de collage surrealista, na Pousart, em Florianópolis, da qual participei intensa e visceralmente e, por isso, devo agradecer-lhes.

Aos amigos de sempre e familiares, agradeço pelo carinho e pela presença constante na ausência: Dr. Carlos Eduardo Sodré, Dra. Lia Nara Oliveira, Dra. Kharen Kelm Herbst, Dr. Frederico Nissel, meus muitos tios Umberto (meu padrinho), Eny (in memoriam), Lucio e Marcos e primos das famílias Thomazelli e Cid, Neda (in memoriam) Valde, Pedro (in memoriam), Maroca e Zelli e primos da família Duarte.

Meus queridos avós, materno e paterno, Marcos Thomazelli e Jacinto Duarte, que sempre foram grandes inspiradores da minha vida, e sou eternamente grato a eles.

Aos queridos amigos de infância em Araquari: Ziba (in memoriam), Perigo (in memoriam), Ângelo, Jango, Zequinha, Sandro Hreisemnou(in memoriam), Cumã (in memoriam), Antenorzinho, Mario Almeida (in memoriam), Xique, Vera, Graça, Teresa, José Antonio, Badeco (in memoriam) e Dez (in memoriam), entre tantos outros.

Agradeço, finalmente, a Maria Oliveira, meu antigo e novo amor, com quem, nesses quase 11 anos, mantive absoluta conexão afetiva. Torna-se quase impossível pensar a existência deste livro sem sua presença sossegada ao meu lado, todos os dias. Agradeço-lhe também por seu amor infinito e à minha sogra Maria Aparecida e cunhados Carlinhos, Luís Paulo, Luís Afonso, Ana Aparecida e respectivos sobrinhos Enrico e Maria Vitória.

E, last but not least, aos meus pais, José (in memoriam) e Izolete, e aos meus irmãos Teodora, Paulo, Júnior, Izolete e Marcos e cunhados e cunhadas e sobrinhos, a quem posso dizer apenas que amo vocês.

Barra do Sai
Garuva
Itapema do Norte
Itapoá
Capri
Ubatuba
Praia Ubatuba
Praia Enseada
São Francisco do Sul
Praia Grande
Ilha de São Francisco
Oxford
Campo Alegre
Rio Negrinho
São Bento do Sul
Corupá
Araquari
Jaraguá
Oceano Atlântico
Rio dos Cedros
Pomerode
Praia de Piçarras
Praia de Itajuba
Timbó
Rodeio
Ascurra
SERRA
DO
Praia Cabeçudas
Apiúna
Praia das Laranjeiras
Pres. Nereu
Vidal Ramos
Imbuia
Leoberto Leal
Governador Celso Ramos
Cachoeira do Bom Jesus
Praia Campeche
Amópolis
São Leonardo
Taquaras
São José
Santo Amaro da Imperatriz
Águas Mornas
Catuíra
Alfredo Wagner
Bom Retiro
SANTA CATARINA

VIDA
SAMBAQUIANA:
ARTEIRA
E
INTENSIVA

CANTO SAM
QUASE BAQUI
CORO ANO

ESTE LIVRO FOI COMPOSTO EM TIPOS GEORGIA SOBRE PAPEL POLÉN E PAPEL GOMADO EM JANEIRO DE 2020 PELA KOTTER EDITORIAL EM CURITIBA.